POUR TOUTES CELLES ET CEUX QUI ONT PERMIS CE LIVRE.

ET VOUS ÊTES NOMBREUX ! MERCI !

SOPHIE

Copyright 2017 Éditions Le grand jardin, 13880 Velaux, France

Dépôt légal juin 2017

ISBN 979-10-96688-05-0

Imprimé en Union Européenne en partenariat avec www.alphabook.fr
sur du papier issu de forêts durablement gérées.

PLAGE RÉSERVÉE

SOPHIE LESCAUT

le grand jardin
ÉDITIONS JEUNESSE

C'est un beau jour d'été : un de ces jours qui donnent envie d'aller à la plage.

Et justement, Madame Ornithorynque se prépare. Elle fourre les serviettes de bain dans son sac, y glisse les pelles, les seaux, les râteaux, les arrosoirs, les lunettes de soleil, les livres, les masques, le cerf-volant, les bouées, les maillots de bain, les raquettes, les tubas, les billes, les boules, les balles, les bobs, les épuisettes, le parasol, les boissons, le goûter...

Puis elle tartine de crème solaire ses sept enfants, sans oublier son dernier œuf. Et, suivie de sa petite marmaille, la voilà qui part.

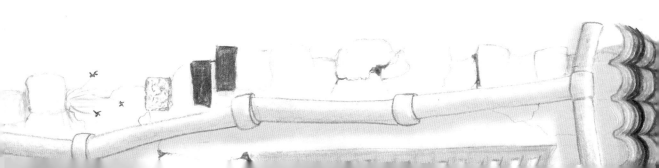

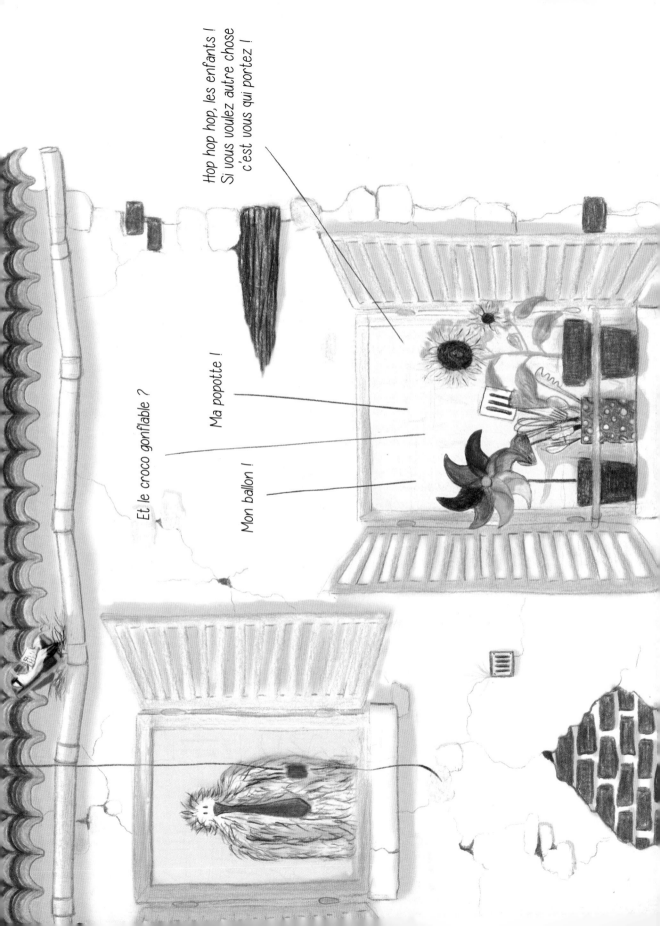

C'est encore
loin ?

J'ai mal aux dents !

J'ai mal
quand même !

T'as même pas
de dents.

J'ai faim !

Moi aussi.

J'ai mal
aux palmes !

- Voilà ! C'est ici : la plus belle plage de la région !
Suivez-moi bien, les enfants, on dirait qu'il y a du monde.

Mais à peine Madame Ornithorynque a-t-elle posé une première palme sur la plage... Qu'un buffle s'interpose :

- *Vous ne savez pas lire ? Pas d'animaux à bec ici !*
- *Comment ça, pas d'animaux à bec ?*
- *Plage réservée. Pas de becs ici. Allez barboter ailleurs bande de canards à quatre pattes !*

On n'est pas
des canards !

Madame Ornithorynque a bien envie de faire un scandale, mais vu la taille du gardien...

- *Bon, c'est pas grave, les enfants, ramassez vos affaires, nous irons nous amuser un peu plus loin, avec des gens plus aimables. Bonsoir !*

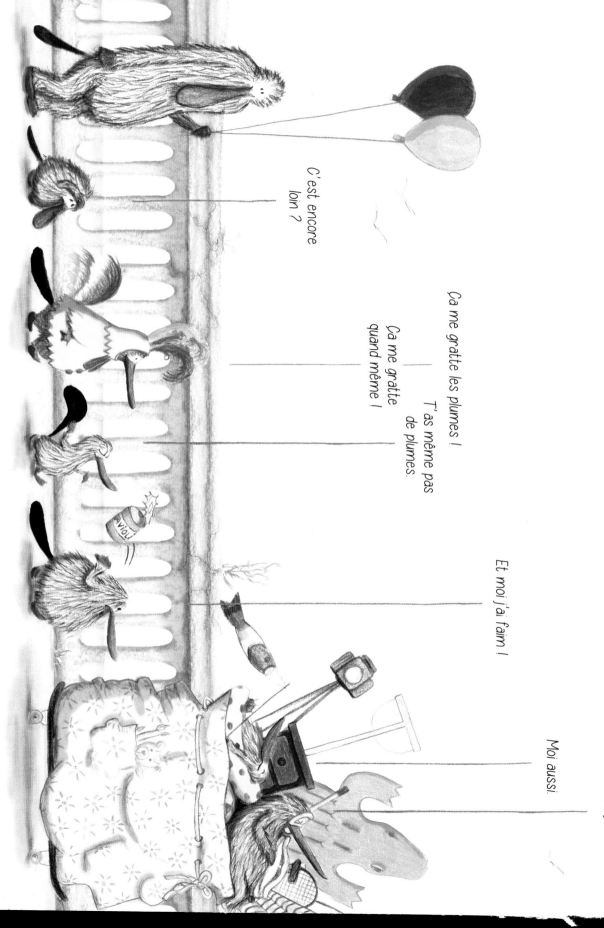

C'est encore
loin ?

Ça me gratte les plumes !

Ça me gratte
quand même !

T'as même pas
de plumes.

Et moi j'ai faim !

Moi aussi.

Maman, j'ai soif !

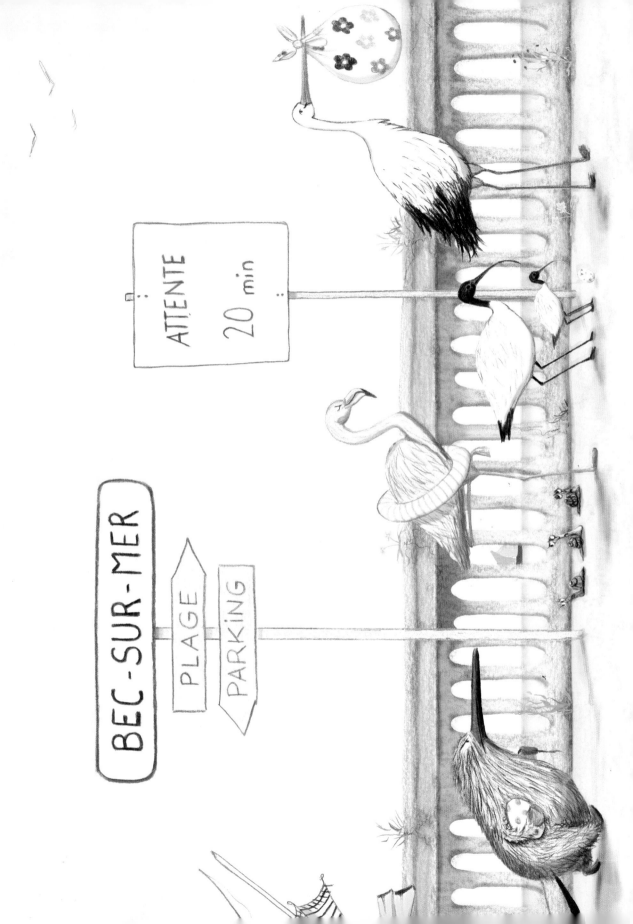

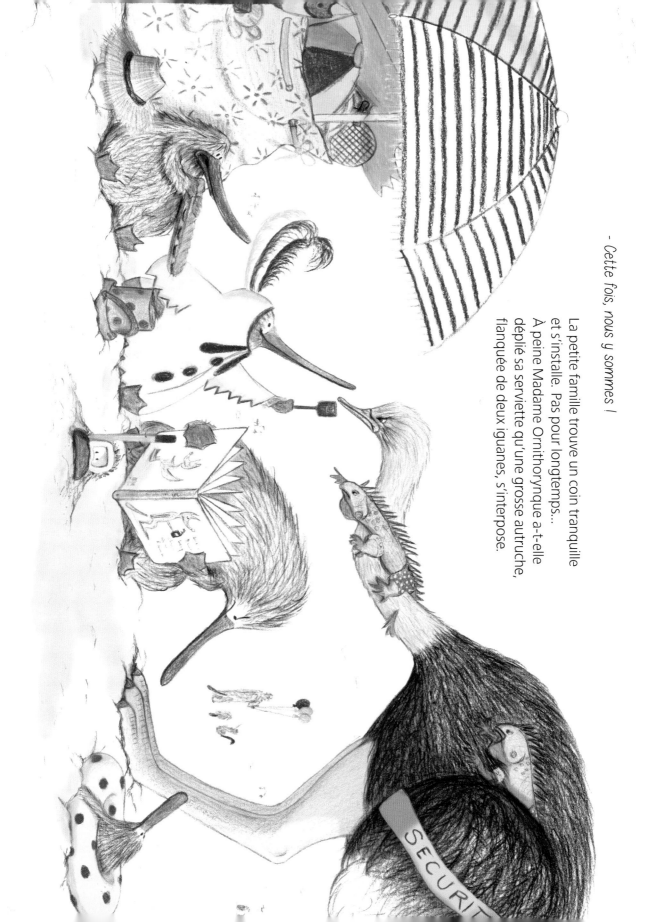

- *Cette fois, nous y sommes !*

La petite famille trouve un coin tranquille
et s'installe. Pas pour longtemps...
À peine Madame Ornithorynque a-t-elle
déplié sa serviette qu'une grosse autruche,
flanquée de deux iguanes, s'interpose.

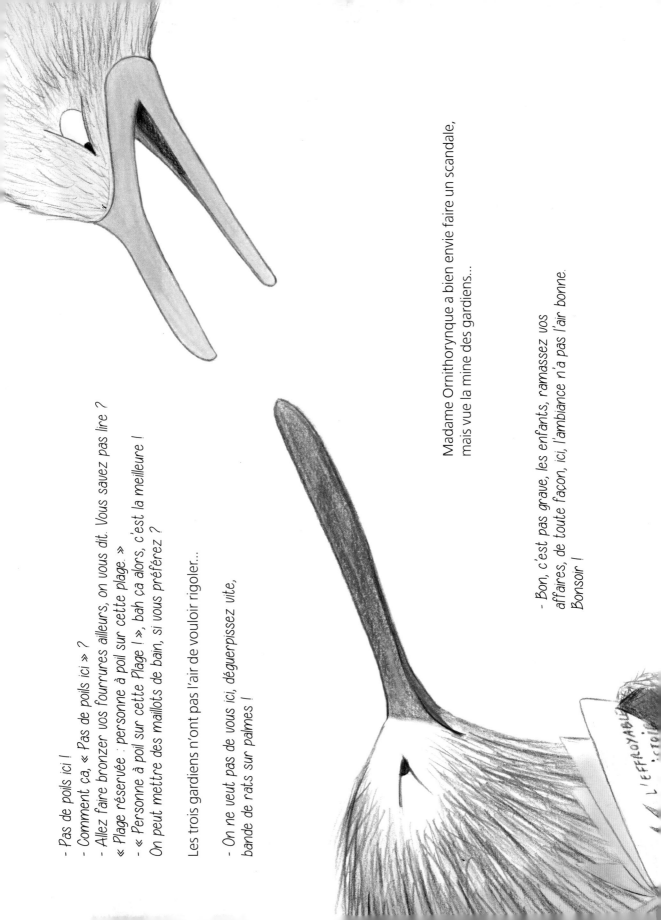

- Pas de poils ici !
- Comment ça, « Pas de poils ici » ?
- Allez faire bronzer vos fourrures ailleurs, on vous dit. Vous savez pas lire ?
« Plage réservée : personne à poil sur cette plage. »
- « Personne à poil sur cette Plage ! », bah ça alors, c'est la meilleure !
On peut mettre des maillots de bain, si vous préférez ?

Les trois gardiens n'ont pas l'air de vouloir rigoler...

- On ne veut pas de vous ici, déguerpissez vite,
bande de rats sur palmes !

Madame Ornithorynque a bien envie faire un scandale,
mais vue la mine des gardiens...

- Bon, c'est pas grave, les enfants, ramassez vos
affaires, de toute façon, ici, l'ambiance n'a pas l'air bonne.
Bonsoir !

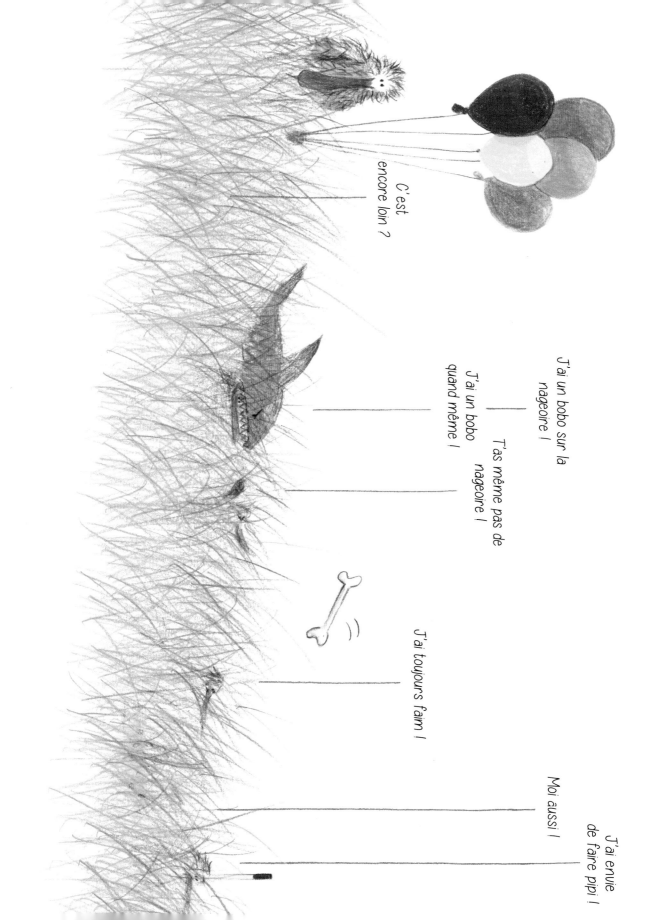

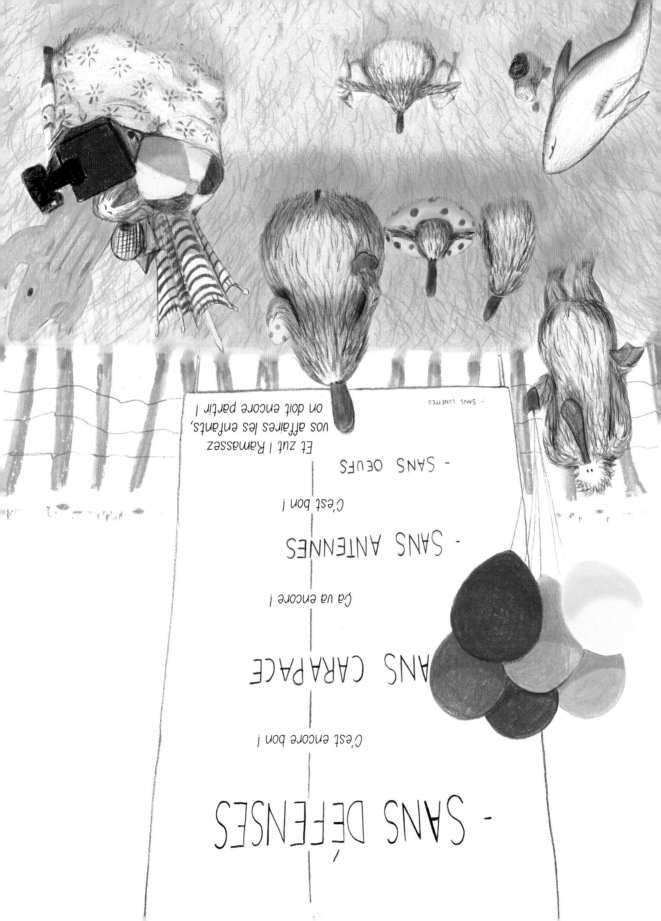

- SANS LUNETTES -

Et zut ! Ramassez
vos affaires les enfants,
on doit encore partir !

- SANS ŒUFS -

C'est bon !

- SANS ANTENNES -

Ça va encore !

- SANS CARAPACE -

C'est encore bon !

- SANS DÉFENSES -

PLAGE

RÉSERVÉE !

Tiens tiens...

- SANS CORNES

PAS
DE
PATTES

RIRE
INTERDIT

PLAGE
RÉSERVÉE
AUX
RAYURES

ici
c'est
NOIR
OU
BLANC !

FEMELLES,
RESTEZ
CHEZ
VOUS !

VÉNIN,
NON
MERCi !

LES EN
ÇA JOU
ÇA RIT,
N'EN V
PAS

SI T'AS
PAS DE
TROMPE,
TU TE
TROMPES!

SI T'AS
PAS DE
TACHES,
DÉGAGE!

Tu savais
qu'on avait
du venir, toi ?

SI T'AS PAS
DE CORNES,
JE TE
COGNE.

- C'est pas vrai !
Mais c'est c'est pas vrai !
Dans quel monde on vit ?!

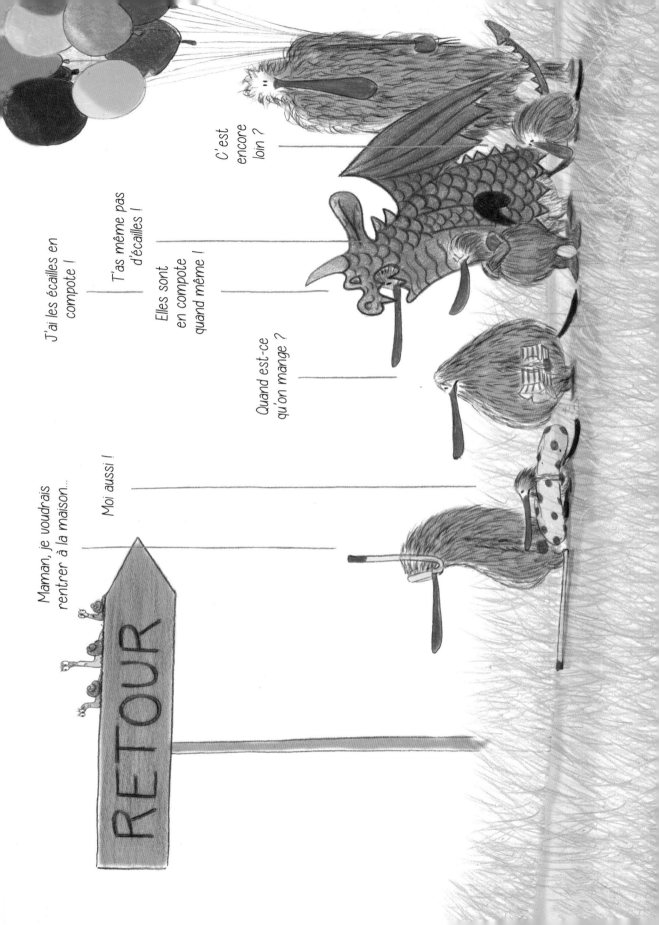

Un peu plus loin, sur le bord de la route...

- Bah, puisque personne ne veut de nous,
on n'a qu'à la créer nous-mêmes notre plage !
Allez, ramassez vos affaires les enfants : je connais
encore un dernier petit coin qui fera très bien l'affaire.

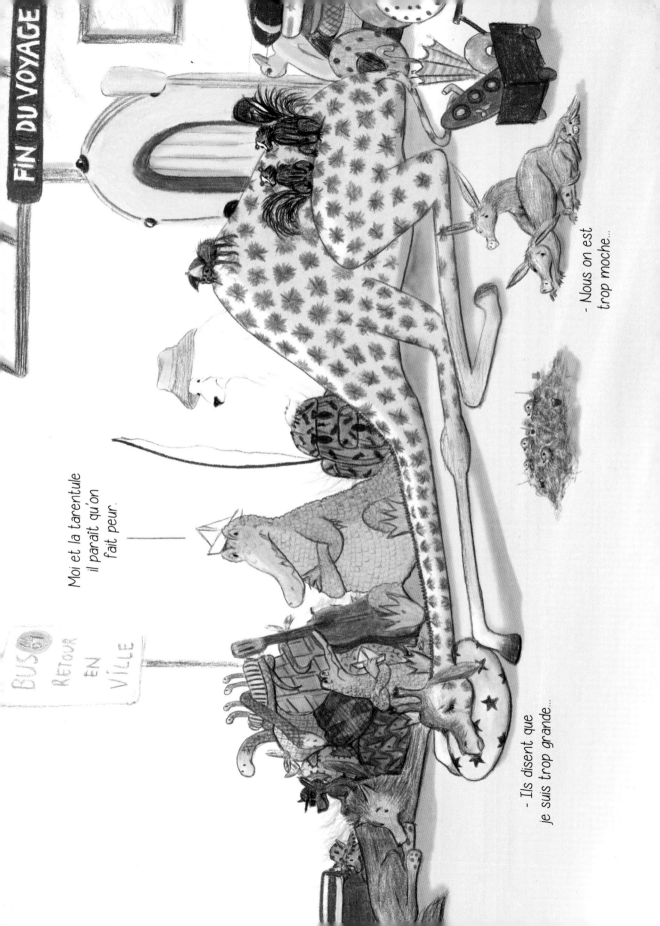

Maman, regarde, l'œuf a des palmes et un bec !

Mo
auss

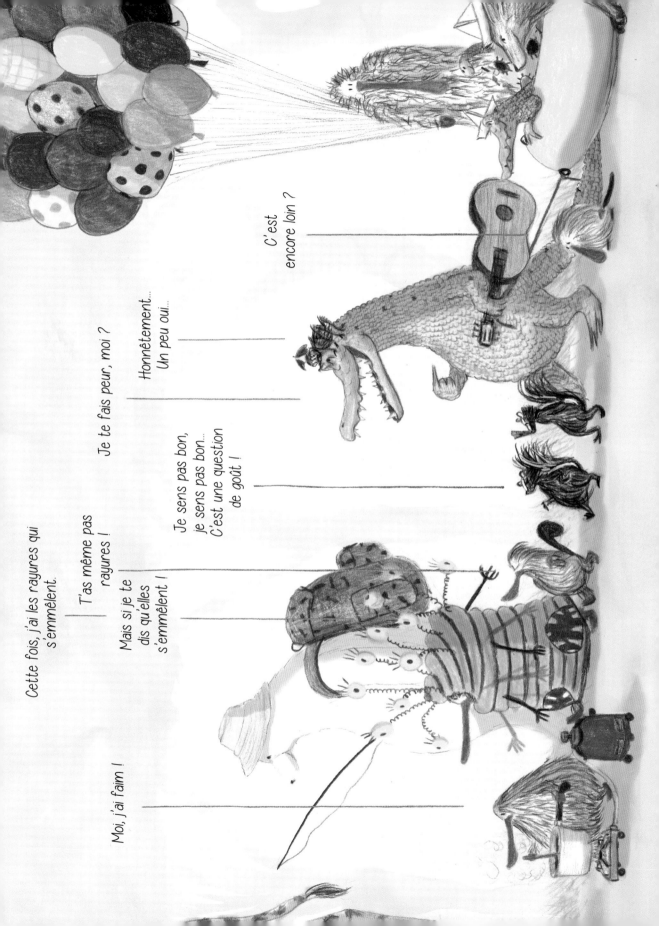

PLAGE OUVERTE

Ça me fait du bien
quand même !

Madame Ornithorynque avait raison.
À cet endroit, chacun a trouvé sa place.

- *Mais maintenant qu'on a*
notre plage, faudrait peut-être
qu'on ait une pancarte,
nous aussi ? suggère le crocodile.

Tout le monde réfléchit.
- *Pas de mammifères ? non.*
Pas de cornes ? non plus.
Pas de rayures ?... c'est mort. Pas d'insectes ?!
- *J'ai une idée dit Madame Ornithorynque.*
Et elle écrit. « Plage ouverte ».

Ça me fait du bien
aux cornes !

T'as même pas
de cornes !

Et tout le monde a passé
un très chouette après-midi.
Il paraît même que le soir les
autres plages étaient vides...